BRARY
Y0-BSL-491
SACRAMENTO, CA 95814
5/2018

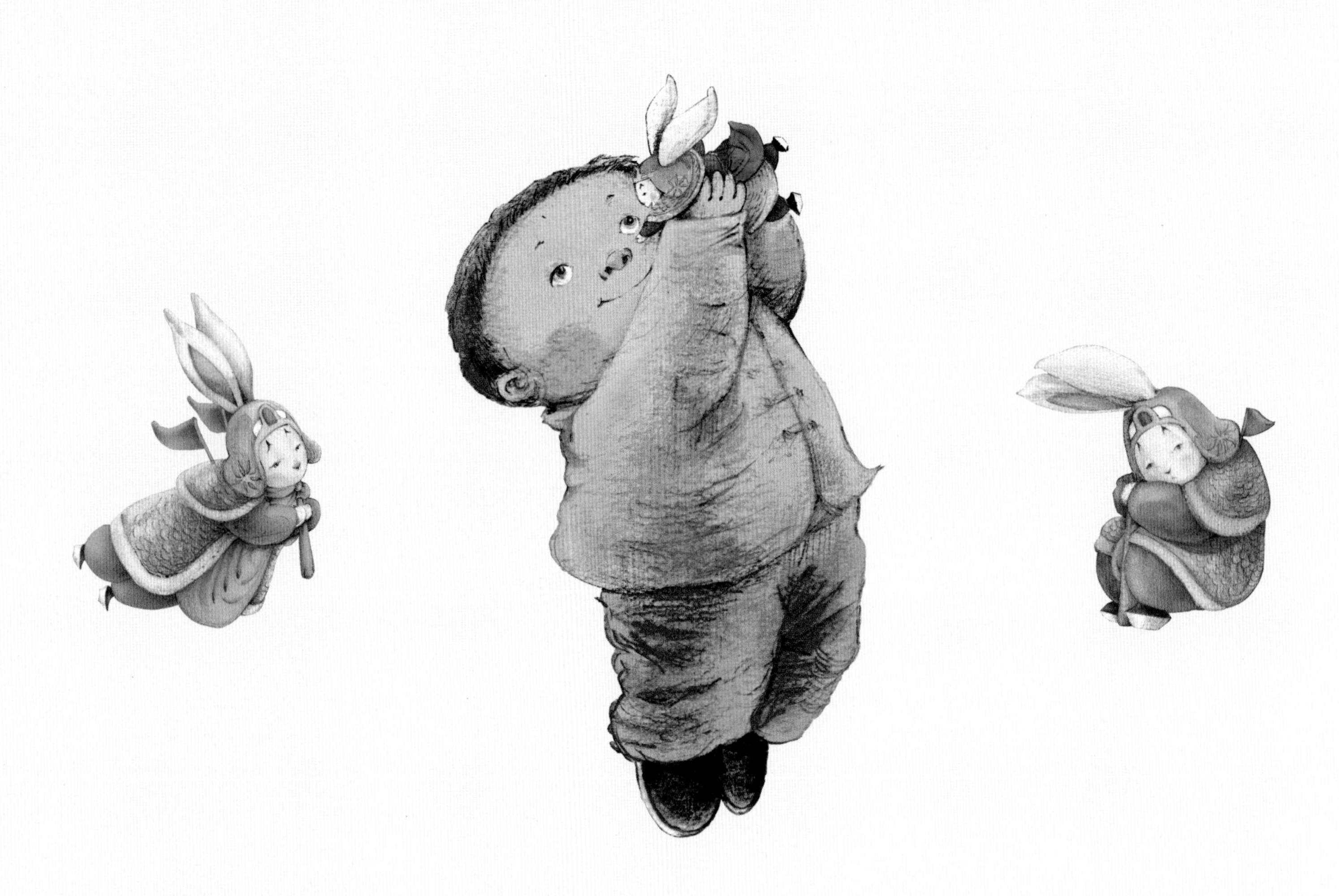

兔儿爷

熊亮 著绘

天津出版传媒集团
天津人民出版社

我是住在月亮上的兔儿爷，那儿有一棵美丽的桂花树，
树上总是开满了小花。每一天，我都在树下捣药。

当然，
对于这一切，
我也不是很清楚。
事实上，
这些都是我从说明书上看来的。

不过，
我知道等到中秋节的那一天，
我就会被当作礼物送给一个孩子。

当然了，
也会有一个孩子热切地盼望着我的到来。
每一个兔儿爷都会属于一个孩子。

每一个盒子上都贴着一张小纸片，上面写着要送到的地址。我偷偷探出头看了看。

“石狮子胡同 7 号”。这下心里有底了，那就是我的家呀！

可是，突然刮来一阵风。

我的地址条被吹走了，再也找不回来了。

现在，谁也不知道该把我送往哪儿。

于是，我仍然被装在盒子里，

放在无人问津的阁楼上。

就这样过了很久很久。

也许，月亮上也是这么寂静吧。

中秋
快乐

我心里多么失望啊！

他心里多么失望啊！

“我应该去找他！”
我捅破了纸盒。

中秋

我推开一扇红色的门，走下一级又一级的台阶。

穿过一个安静的大厅。

走过黎明时分空旷的街道。

大楼里的人们也像我一样住在小小的盒子里。

希望我要去的胡同还没有被拆掉。

“啊！找到了！”

“咚咚咚！”

“谁啊？”

“我在这儿！”

“你是？”“你是？”

“我是兔儿爷！”

熊亮

作家、画家、绘本艺术家。
推动中国原创绘本发展的先锋和导师，作品被翻译和在海外获奖最多的中国绘本代表作者。
第一个在中国提出和推动绘本“纸上戏剧”概念，其绘本立意根源于中国传统文化和东方哲学；画面注重线条和墨色感；
但结构和语言表达却不受传统束缚，现代、简练、纯真，有着独特的幽默感和诗意；
能轻易被孩子、甚至不同文化的读者理解，极富情感表现力。

历年奖项

2005 年　《小石狮》获中国时报“开卷”最佳童书。
台湾诚品书店年度十大好书之一。

2007 年　《长坂坡》（猫剧场）获中国时报“开卷”最佳童书，
获 AYACC 亚洲青年动漫大赛最佳作品奖，获 17 届“金牛杯”美术图书银奖。

2008 年　《家树》获台湾“好书大家读”年度最佳童书。
《荷花回来了》获“中国最美的书”。

2011 年　《长坂坡》（猫剧场）获第七届中国国际动漫节“金猴奖”，
获中国漫画作品大奖和最佳漫画形象奖两项大奖。

2012 年　《武松打虎》（猫剧场）入选“中国幼儿基础阅读书目”。

2014 年　获国际安徒生插画奖中国区提名。

熊亮·中国绘本

《和风一起散步》
《小石狮》
《兔儿爷》
《灶王爷》
《小年兽》
《屠龙族》
《武松打虎》
《长坂坡》
《梅雨怪》
《金刚师》

兔儿爷

* 感谢段虹为本书创作提供的帮助

项目统筹 | 应　凡　　产品经理 | 王　菁
封面设计 | 董歆昱　　内文制作 | 王　雪
后期制作 | 白咏明　　媒介经理 | 景诗佳
责任印制 | 梁拥军　　出 品 人 | 路金波

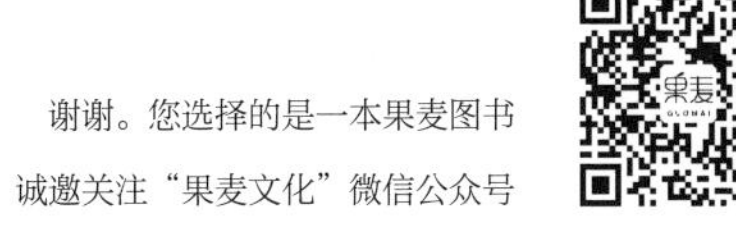

图书在版编目（CIP）数据

兔儿爷 / 熊亮著绘. -- 天津：天津人民出版社，
2016.12
ISBN 978-7-201-11022-6

Ⅰ. ①兔… Ⅱ. ①熊… Ⅲ. ①儿童故事 – 图画故事 –
中国 – 当代 Ⅳ. ①I287.8

中国版本图书馆CIP数据核字（2016）第245601号

兔儿爷

TUERYE

出　　版　天津人民出版社
出 版 人　黄　沛
地　　址　天津市和平区西康路35号康岳大厦
邮政编码　300051
邮购电话　022-23332469
网　　址　http://www.tjrmcbs.com
电子信箱　tjrmcbs@126.com

产品统筹　应　凡
产品经理　王　菁
责任编辑　张　璐
封面设计　董歆昱

制版印刷　北京尚唐印刷包装有限公司
经　　销　新华书店
开　　本　710×1000毫米　1/12
印　　张　3
印　　数　1-14,000
插　　页　4
字　　数　50千字
版次印次　2016年12月第1版　2016年12月第1次印刷
定　　价　39.80元